REVISED EDITION

THE USBORNE
FIRST
THOUSAND
WORDS
IN SPANISH

With easy pronunciation guide

Heather Amery

Illustrated by Stephen Cartwright

Revised edition edited by Nicole Irving
and designed by Andy Griffin

Spanish language consultant: Esther Lecumberri

On every big picture across two pages,
there is a little yellow duck to look for.
Can you find it?

About this book

This book is for everyone who is starting to learn Spanish. By looking at the small, labeled pictures, it will be easy to learn the words. You can also look at the large central picture and try to recall words for things. This helps to make words stick in your mind, and it is also lots of fun. Seeing things in a scene will also help you to remember them.

Masculine and feminine words

When you look at Spanish words for things, such as "table" or "man", you will see that they have **el** or **la** in front of them. This is because all Spanish words for things and people are either masculine or feminine. **El** is the word for "the" in front of a masculine word and **la** is "the" in front of a feminine word. In front of words that are plural (more than one, such as "tables" or "men"), you use **los** for masculine words and **las** for feminine ones.

All the labels in this book show words for things with **el**, **la**, **los** or **las**. Always learn them with this little word.

Looking at Spanish words

In Spanish, the letters "a", "e", "i", "o" and "u" are sometimes written with a stress mark, a sign that goes above them. This sign changes the way you say the word.
Spanish also has an extra letter, which is an "n" with a sign like a squiggle over the top. This letter **ñ** is said "nyuh" (like the "nio" in "onion").

Saying Spanish words

The best way to learn how to say Spanish words is to listen to a Spanish speaker and repeat what you hear. To help you, though, in the word list at the back of the book, you will find an easy pronunciation guide for each Spanish word.

About this revised edition

This edition brings new life to an enormously popular book. The book has been redesigned to give even clearer pictures and labels, and there are many brand-new illustrations by Stephen Cartwright. The book has also been brought up to date, so that it now includes objects which have made their way into everyday life in recent years.

La casa

la bañera

el jabón

el grifo

el papel higiénico

el cepillo de dientes

el agua

el retrete

la esponja

el lavabo

la ducha

la toalla

la cama

El cuarto de baño

El cuarto de estar

la pasta dentífrica

la radio

el cojín

el disco compacto

la moqueta

el sofá

la silla

el edredón

el peine

la sábana

la alfombra

el armario

El dormitorio

la almohada

la cómoda

el espejo

el cepillo

la lámpara

El pasillo

los carteles

el colgador
de ropa

el teléfono

las escaleras

el radiador

el video

el periódico

la mesa

las cartas

La cocina

el refrigerador

los vasos

el reloj

el taburete

las cucharillas

el interruptor

el detergente

la llave

la puerta

el aspirador

el fregadero

las cacerolas

los tenedores

el delantal

la tabla de planchar

la basura

6

el calentador del agua

los cuchillos

la fregona

el trapo del polvo

los azulejos

la escoba

la lavadora

el recogedor

el cajón

los platillos

la sartén

la estufa

las cucharas

los platos

la plancha

la toalla de cocina

las tazas

las cerillas

el cepillo

los cuencos

el armario

7

la carretilla

la colmena

el caracol

los ladrillos

la paloma

la pala

la mariquita

el cubo de basura

las semillas

el cobertizo

El jardín

la regadera

el gusano

las flores

el irrigador

la azada

la avispa

la abeja

la paleta

el hueso

el seto

la horca

el cortacésped

el sendero

las hojas

el árbol

el humo

la oruga

el rastrillo

el nido

los palos

la hierba

el cochecito de niño

la escalera

la hoguera

la manguera

el invernadero

9

El taller

los tornillos

el torno de banco

el papel de lija

el taladro

la escalera

la sierra

el serrín

el calendario

la caja de herramientas

el destornillador

el tablón

las virutas

la navaja

10

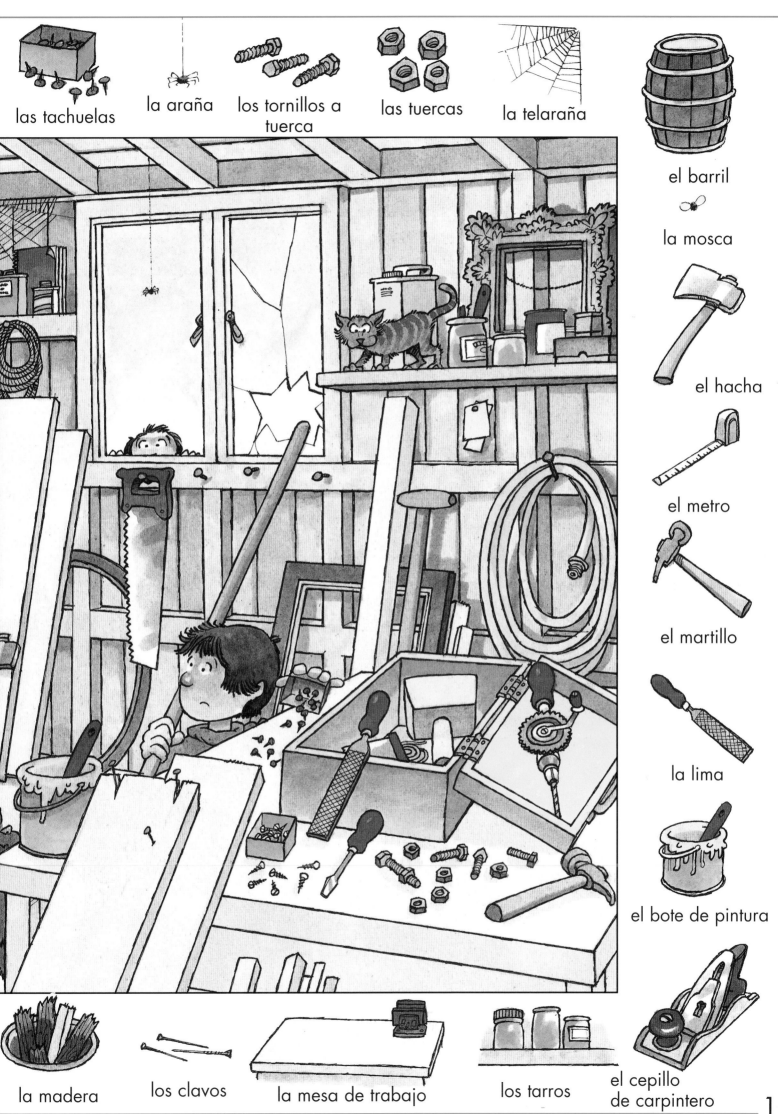

las tachuelas

la araña

los tornillos a tuerca

las tuercas

la telaraña

el barril

la mosca

el hacha

el metro

el martillo

la lima

el bote de pintura

la madera

los clavos

la mesa de trabajo

los tarros

el cepillo de carpintero

11

la tienda

el agujero

el café

la ambulancia

la acera

la antena de televisión

la chimenea

el tejado

la escavadora

el hotel

La calle

el autobús

el hombre

el carro de policía

las tuberías

la taladradora

el colegio

el patio

el taxi

el paso de peatones

la fábrica

el camión

el semáforo

el cine

la furgoneta

la apisonadora

el remolque

la casa

el mercado

los escalones

la moto

la bicicleta

el carro de bomberos

el policía

el carro

la mujer

la farola

los apartamentos

13

el tren

los dados

el caramillo

el robot

los tambores

el collar

la cámara

las cuentas

las muñecas

la guitarra

el anillo

la casa
de muñecas

La juguetería

la armónica

el silbato

los cubos

el castillo

el submarino

la trompeta

las flechas

el arco

el paracaídas

el barco

las pinturas
para la cara

la
apisonadora

las máscaras

el carro
de carreras

el caballo
de balancín

la hucha

las canicas

los títeres

el piano

los astronautas

la grúa

la plastilina

la
escopeta

los
soldados

la caja
de pinturas

el cohete

15

los columpios

el hoyo de arena

el picnic

la cometa

el helado

el perro

la puerta de
la cerca

el sendero

la rana

el tobogán

El parque

el banco

los renacuajos

el lago

los patines

el arbusto

16

el bebé

 el monopatín

la tierra

la silleta

el subibaja

 los niños

 el triciclo

 los pájaros

 la cerca

 el balón

 el velero

 la cuerda

 el charco

 los patitos

 la cuerda de saltar

 los árboles

 el jardín de flores

los cisnes

la correa de perro

 el pato

17

El zoo

el panda

el ala

el águila

el hipopótamo

el murciélago

el gorila

las patas

el canguro

el mono

el rabo

el lobo

el cocodrilo

el pingüino

el oso

las plumas

el pelícano

el avestruz

el delfín

la jirafa

el león

los cachorros de león

18

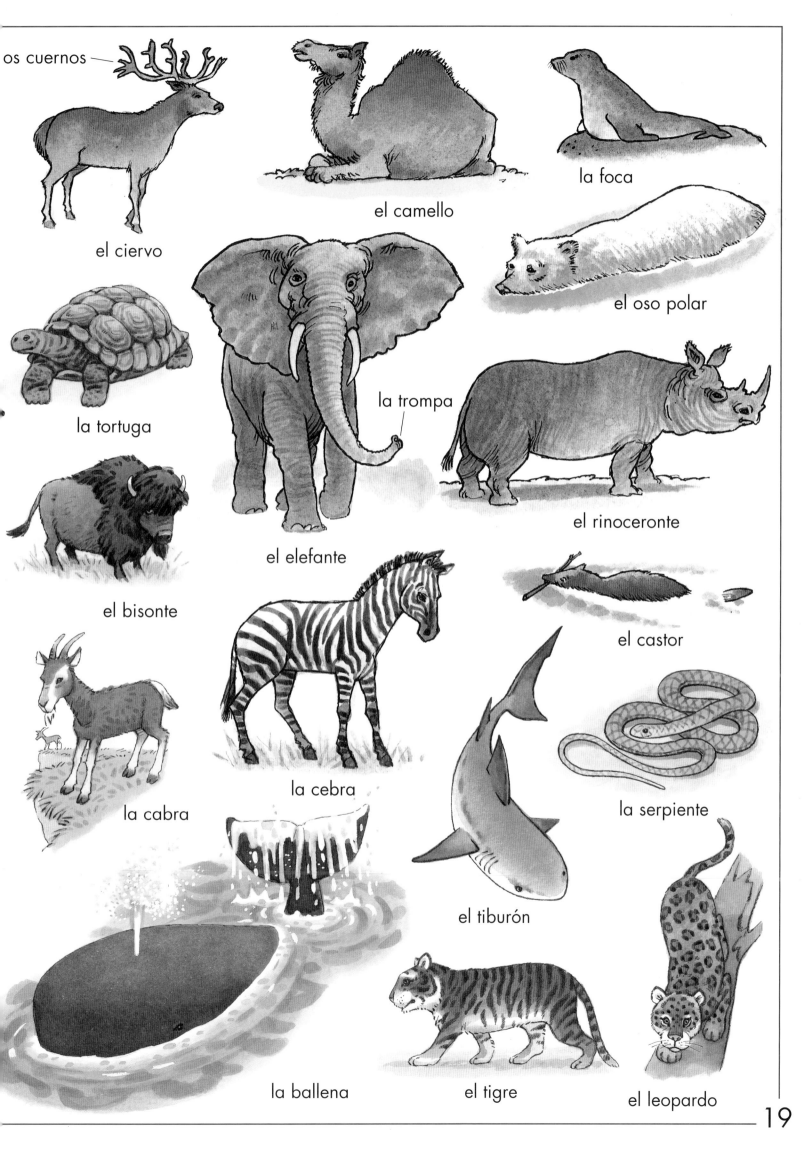

os cuernos

el ciervo

el camello

la foca

el oso polar

la tortuga

la trompa

el rinoceronte

el bisonte

el elefante

el castor

la cabra

la cebra

la serpiente

el tiburón

la ballena

el tigre

el leopardo

19

los raíles

la máquina

los topes

los vagones

el maquinista

el tren de mercancías

el andén

la revisora

la maleta

la máquina de boletos

El viaje

el helicóptero

La estación de ferrocarril

El garaje

las señales

la mochila

los faros

el motor

la rueda

la batería

el avión

la azafata

la pista de aterrizaje

El aeropuerto

la torre
de control

el sobrecargo

el piloto

el lavado
de coches

el baúl

la gasolina

el camión de las
averías

lavado de coches

el surtidor de
gasolina

camión de gasolina

la llave
inglesa

el neumático

el capó

el aceite

el molino
de viento

el globo

el campo

la montaña

la mariposa

el lagarto

las piedras

el zorro

el arroyo

el poste
indicador

el erizo

la compuerta

la ardilla   el bosque   el tejón   el río   el camino

22

las tiendas de campaña

el canal

los troncos

el pueblo

la mariposa nocturna

el puente

la barcaza

la cascada

el búho

el túnel

los zorritos

el topo

el pescador

las rocas

el sapo

el tren

la caravana

la colina

23

el almiar

el perro pastor

los patos

los corderos

el estanque

los pollitos

el pajar

la pocilga

el toro

los patitos

el gallinero

el tractor

La granja

el gallo

las ocas

el camión

el granero

el lodo

la carretilla

24

el granjero

el campo

las gallinas

el ternero

la cerca

la silla
de montar

el establo

la vaca

el arado

la huerta

la cuadra

los cerditos

la pastora

los pavos

el espantapájaros

el heno

las ovejas

las
balas de paja

el caballo

los cerdos

la granja

25

La playa

el barco de vela

el mar

el remo

el faro

la pala

el cubo

la estrella
de mar

el castillo
de arena

la sombrilla

la bandera

el marinero

la concha de mar

el cangrejo

la gaviota

la isla

la lancha motora

la esquiadora
acuática

las olas

el sombrero de paja

el acantilado

el barco

la canoa

la cuerda

las piedrecitas

las algas

la red

el remo

el barco de pesca

las aletas

el burro

el pez

el traje de baño

el petrolero

la playa

el bote de remos

la tumbona

La escuela

las tijeras

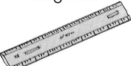
2 + 2 = 4
3 + 2 = 5
las cuentas

la goma

la regla

las fotos

los marcadores

las chinchetas

las pinturas

el chico

el lápiz

la pizarra

el escritorio

los libros

el bolígrafo

el pegamento

la tiza

el dibujo

la papelera

la profesora

la caja

el mapa

el pincel

el techo

la pared

el suelo

a b c ch d e f
g h i j k l ll m n
ñ o p q r rr s t u
v w x y z

el cuaderno

a b c ch d e f
g h i j k l ll m n
ñ o p q r rr s t u
v w x y z

el abecedario

la chapa

la pecera

el papel

la persiana

el picaporte

la planta

el globo terráqueo

la chica

los lápices
de colores

la lámpara

el caballete

29

el enfermero

el algodón

la medicina

el ascensor

la bata

las muletas

las píldoras

la bandeja

el reloj

el termómetro

la cortina

El hospital

el osito de trapo

la manzana

el yeso

la venda

la silla
de ruedas

el rompecabezas

la médica

la
jeringuilla

El médico

las zapatillas

la computadora

el esparadrapo

la banana

las uvas

la cesta

los juguetes

la pera

las tarjetas

el pañal

el bastón

la sala de espera

la televisión   el camisón   el pijama   la naranja   los pañuelos de papel   el tebeo

31

La fiesta

los regalos

el globo

el chocolate

el caramelo

la ventana

los fuegos
artificiales

la cinta

la torta

la paja

la vela

la guirnalda de papel

los juguetes

la mandarina   el chorizo   la cinta   la salchicha

las patatas fritas

el disfraz

la cereza

el jugo

la frambuesa

la fresa

la bombilla

el bocadillo   la mantequilla   la galleta   el queso   el pan   el mantel

33

el pomelo

la zanahoria

la coliflor

el puerro

el champiñon

el pepino

el limón

el apio

el albaricoque

el melón

La tienda

la bolsa

QUESO

FRUTAS Y VERDURAS

la cebolla

la col

el melocotón

la lechuga

los guisantes

el tomate

los huevos

 la ciruela

 la harina

 las balanzas

 los jarros

 la carne

 la piña

 el yogur

 la cesta

 las botellas

 el bolso

 el monedero

 el dinero

 las latas

 el carrito

 las patatas

 las espinacas

 las habichuelas

 la caja

 la calabaza

35

Los alimentos

el desayuno

la comida

el huevo pasado por agua

las tostadas

el huevo frito

el café

la mermelada

la nata

el cereal

la leche

la miel

el chocolate caliente

el azúcar

la sal

la pimienta

el té

los panqueques

los panecillos

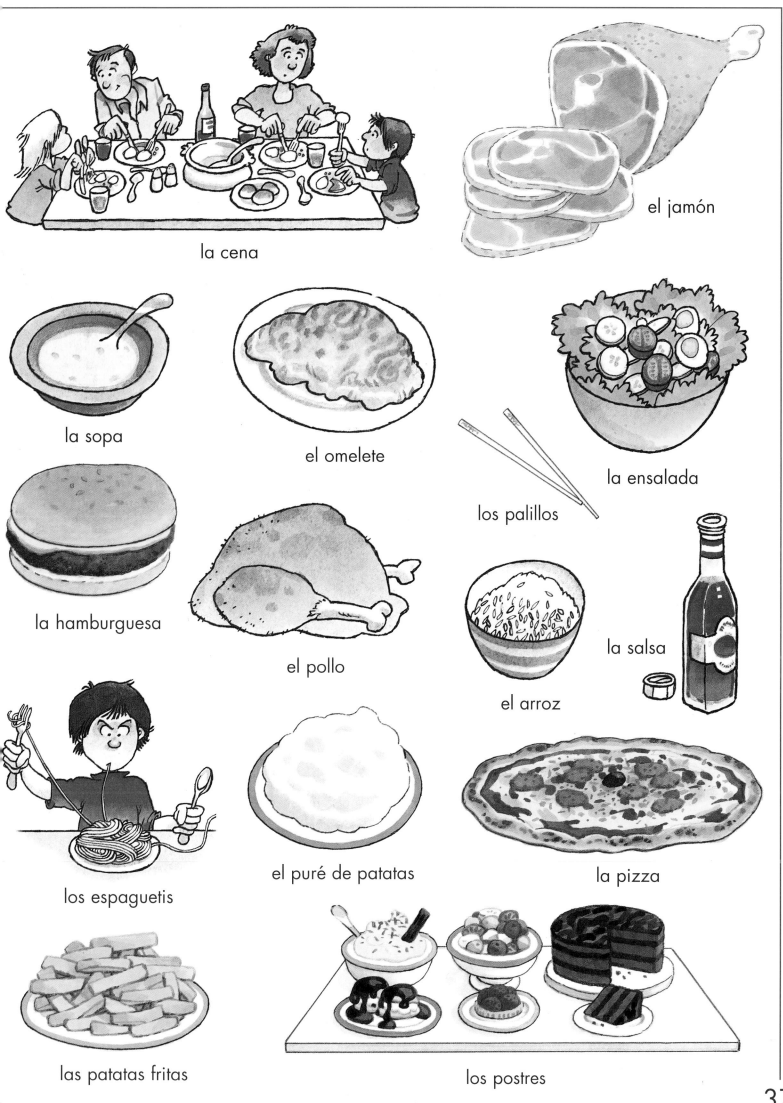

la cena

el jamón

la sopa

el omelete

los palillos

la ensalada

la hamburguesa

el pollo

el arroz

la salsa

los espaguetis

el puré de patatas

la pizza

las patatas fritas

los postres

37

Yo

la cabeza

el pelo

la cara

el brazo

el codo

el estómago

los dedos del pie

el pie

la pierna

la rodilla

la ceja

el ojo

la nariz

la mejilla

la boca

los labios

los dientes

la lengua

la barbilla

las orejas

el cuello

los hombros

el pecho

la espalda

el trasero

la mano

el pulgar

los dedos

La ropa

los calcetines   los calzoncillos   la camiseta   los pantalones   los jeans   la camiseta

la falda   la camisa   la corbata   los pantalones cortos   las medias   el vestido

el suéter   el jersey   la rebeca   la bufanda   el pañuelo

los zapatos de tenis   los zapatos   las sandalias   las botas   los guantes

el cinturón   la hebilla   la cremallera   el cordón del zapato   los botones   los ojales

los bolsillos   el abrigo   la chaqueta   la gorra   el sombrero

39

La gente

el cocinero

el bailarín

la bailarina

el actor

la actriz

el cantante

la cantante

el astronauta

el carnicero

el policía

la policía

el carpintero

el bombero

la artista

el juez

el mecánico

la mecánica

el peluquero

la conductora
de camión

el conductor
de autobús

la dentista

el submarinista

el cartero

el camarero   la camarera

el pintor

la
panadera

La familia

la tía   el tío

el hijo
el hermano
la hija
la hermana

la madre
la esposa

el padre
el esposo

el primo

el abuelo

la abuela

Haciendo cosas

reírse

sonreír

llorar

pensar

escuchar

agarrar

lanzar

romper

pintar

escribir

cortar

cortar

comer

hablar

cavar

llevar

beber

hacer

saltar

andar a gatas

bailar

lavarse

hacer punto

jugar

mirar

trepar

pelear

dormir

tomar

coser

saltar

esperar

cocinar

esconderse

leer

comprar

empujar

barrer

cantar

recoger

soplar

tirar

caerse

andar

correr

sentarse

43

Palabras opuestas

bueno

malo

lejos

cerca

arriba

abajo

frío

caliente

mojado

seco

encima

debajo

sucio

limpio

gordo

delgado

abierto

cerrado

pequeño

grande

pocos

muchos

primero

último

a la izquierda

fuera

dentro

fácil

difícil

vacío

lleno

blando

duro

la parte delantera

alto

lento

rápido

la parte trasera

bajo

largo

corto

muerto

vivo

oscuro

claro

viejo

arriba

a la derecha

nuevo

abajo

45

Los días

lunes

martes

miércoles

jueves

viernes

sábado

domingo

el calendario

la mañana

el sol

la tarde

la noche

el espacio

el planeta

la nave espacial

la luna

la estrella

el telescopio

Días especiales

el cumpleaños

el regalo

la vela

la tarjeta
de cumpleaños

la torta de cumpleaños

las vacaciones

el día de la boda

la dama de honor

la novia   el novio

la cámara

el fotógrafo

el día de Navidad

el reno

el trineo

Papá Noel

el árbol
de Navidad

El tiempo

el sol

las nubes

el cielo

el paraguas

la lluvia

el relámpago

la niebla

la nieve

el rocío

el viento

la neblina

la helada

el arco iris

Las estaciones

la primavera

el verano

el otoño

el invierno

Animales
domésticos

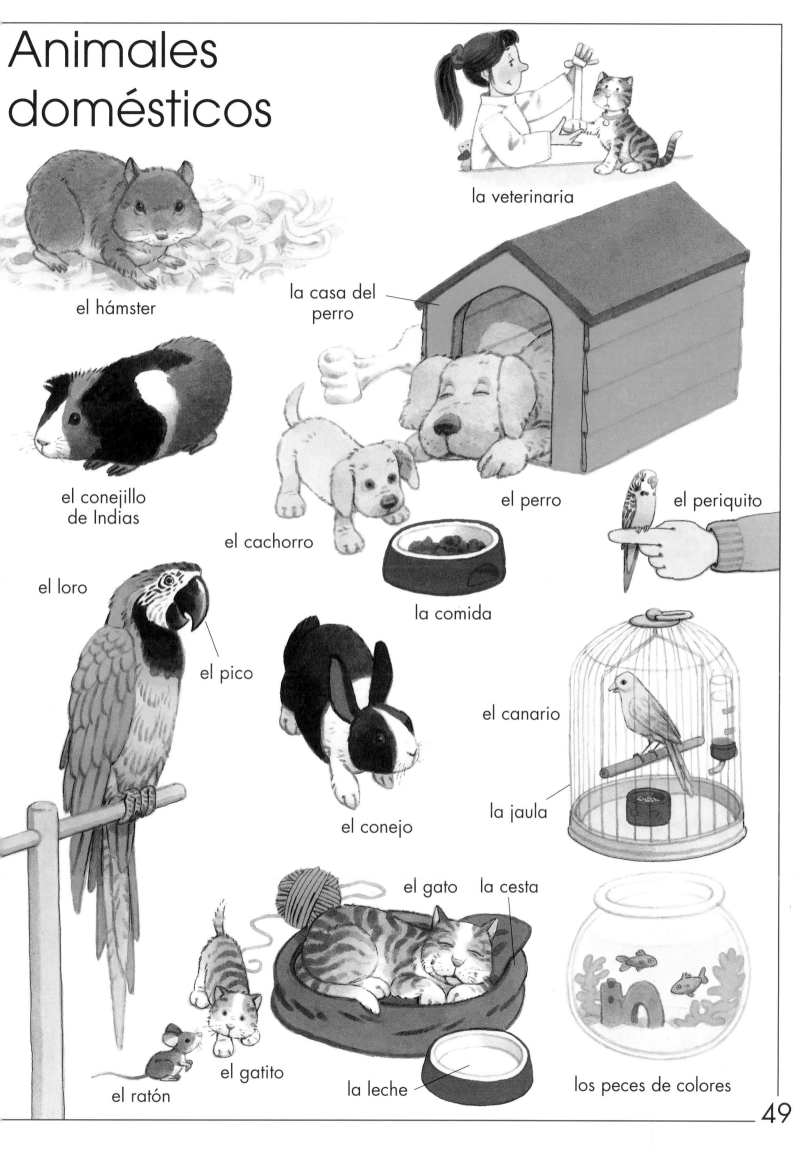

la veterinaria

el hámster

la casa del
perro

el conejillo
de Indias

el cachorro

el perro

el periquito

la comida

el loro

el pico

el canario

la jaula

el conejo

el gato   la cesta

el gatito

el ratón

la leche

los peces de colores

49

Los deportes

el basquetbol

el piragüismo

el snowboarding

la vela

el windsurfing

la raqueta

el cricket

el kárate

el tenis

el fútbol americano

la gimnasia

la pelota

el bate

la caña de pescar

el anzuelo

el baile

el béisbol

la pesca

el rugby

el salto de trampolín

la piscina

la carrera

la natación

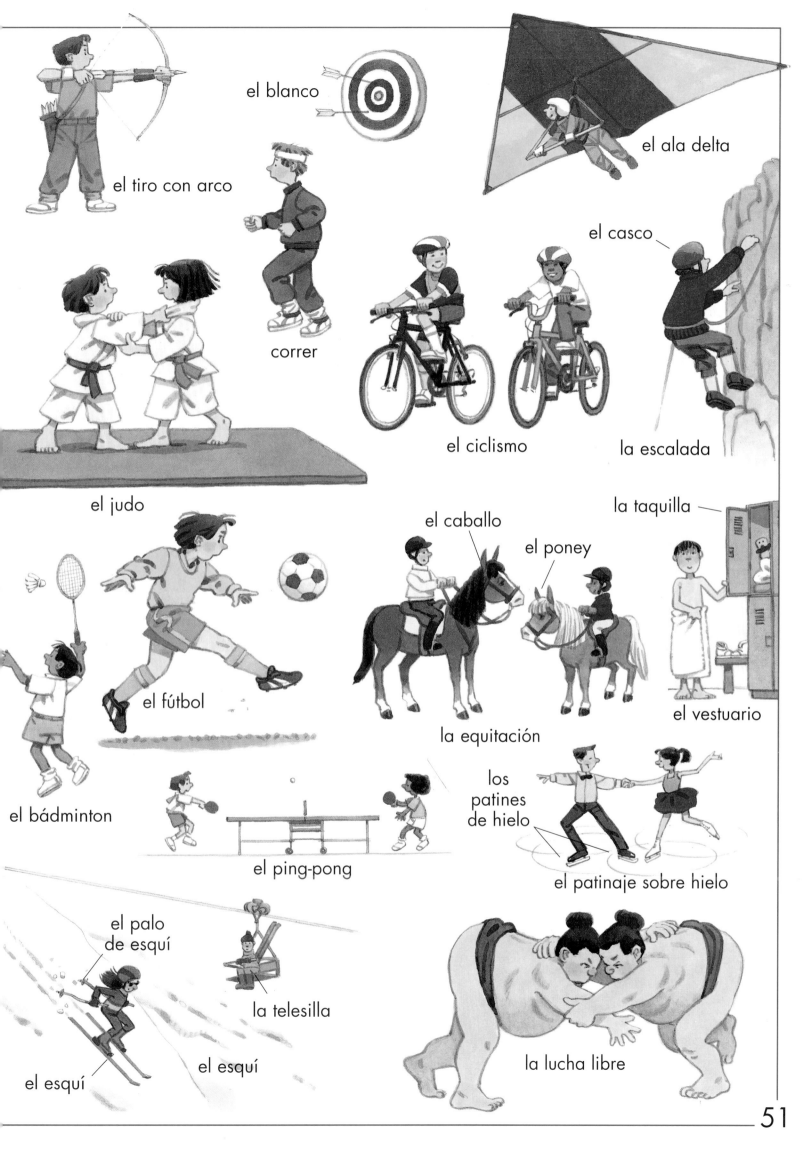

el tiro con arco

el blanco

el ala delta

correr

el casco

el ciclismo

la escalada

el judo

el caballo

el poney

la taquilla

el vestuario

el fútbol

la equitación

el bádminton

el ping-pong

los patines de hielo

el patinaje sobre hielo

el palo de esquí

la telesilla

el esquí

el esquí

la lucha libre

Los colores

anaranjado

verde

negro

gris

rojo

marrón

color rosa

blanco

azul

morado

amarillo

Las formas

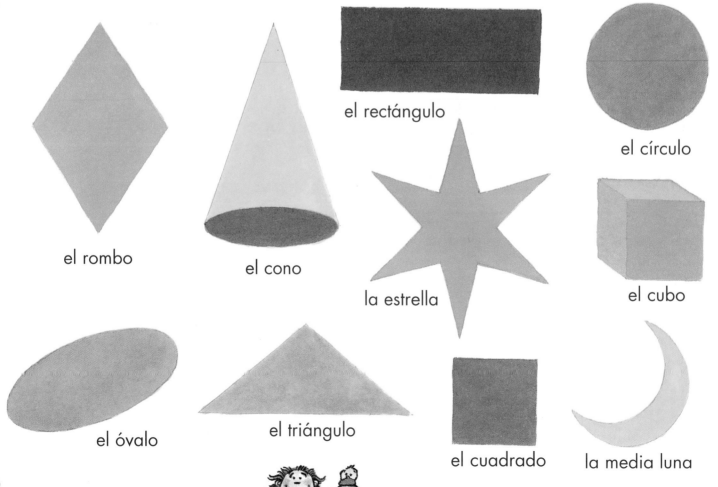

el rectángulo

el círculo

el rombo

el cono

la estrella

el cubo

el óvalo

el triángulo

el cuadrado

la media luna

Los números

1	uno
2	dos
3	tres
4	cuatro
5	cinco
6	seis
7	siete
8	ocho
9	nueve
10	diez
11	once
12	doce
13	trece
14	catorce
15	quince
16	dieciséis
17	diecisiete
18	dieciocho
19	diecinueve
20	veinte

La feria

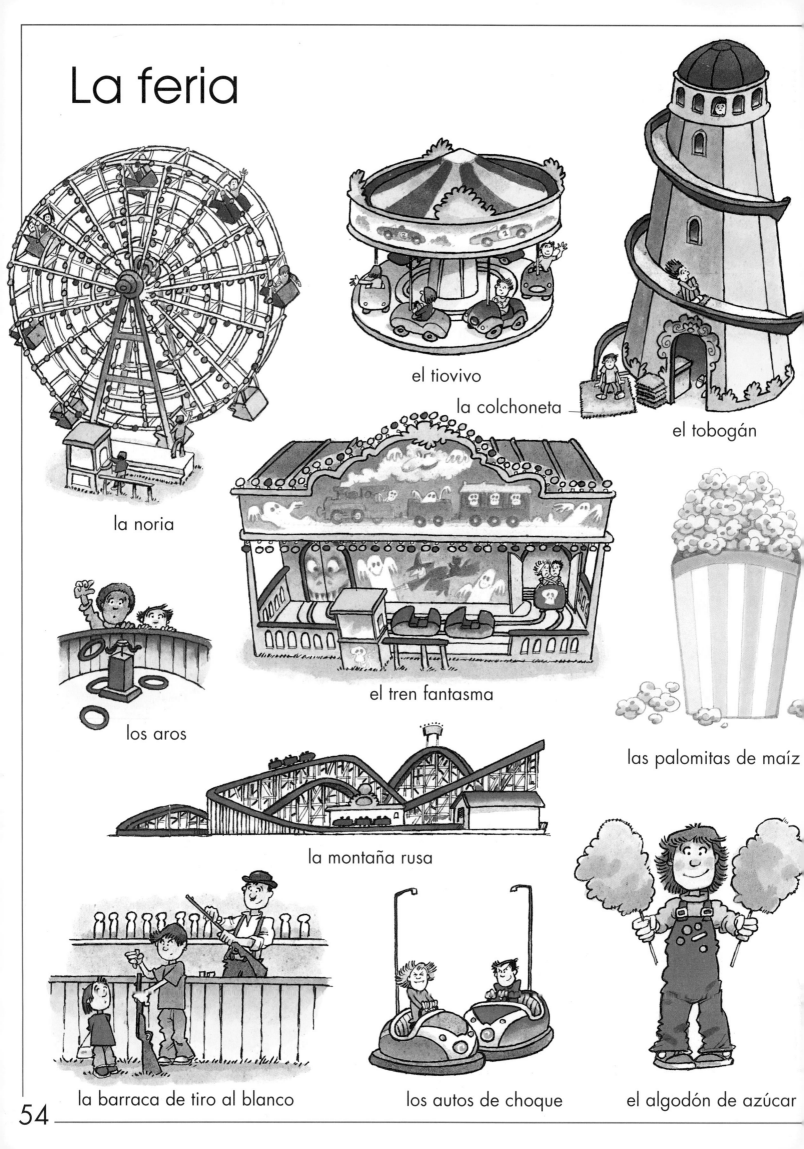

la noria

el tiovivo

la colchoneta

el tobogán

los aros

el tren fantasma

las palomitas de maíz

la montaña rusa

la barraca de tiro al blanco

los autos de choque

el algodón de azúcar

54

El circo

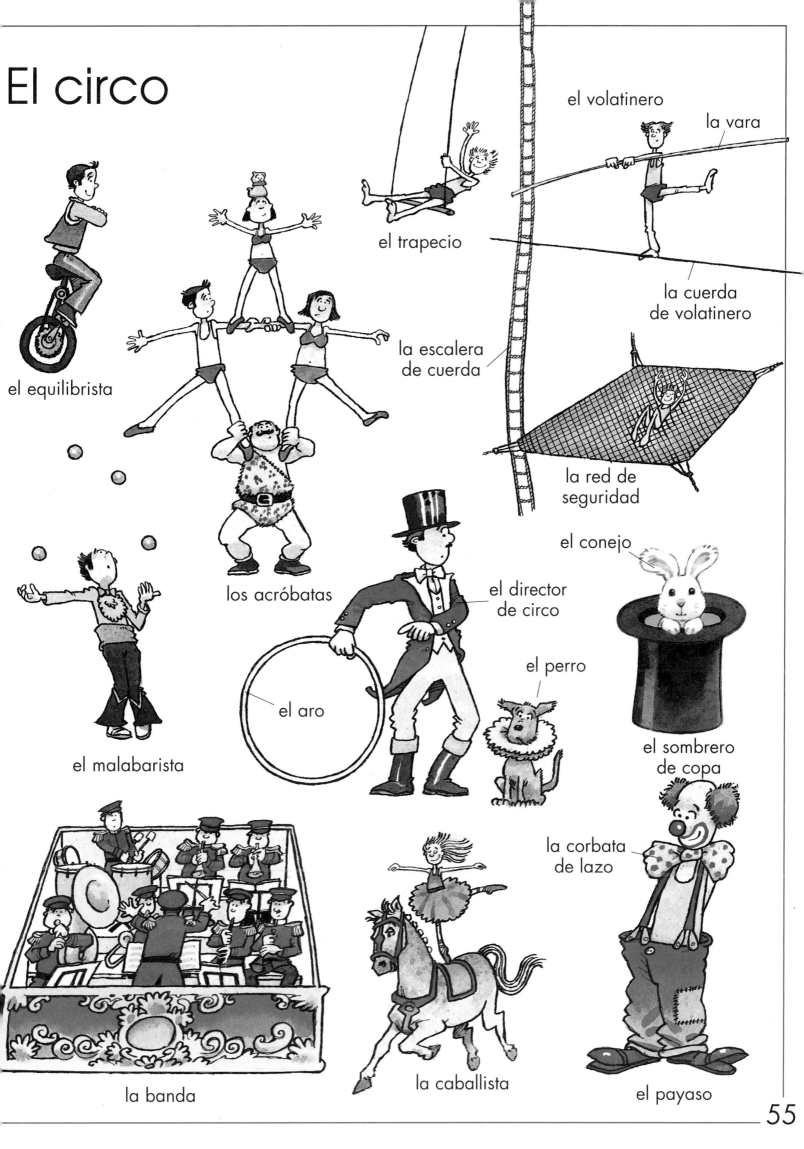

el equilibrista

el trapecio

el volatinero

la vara

la cuerda de volatinero

la escalera de cuerda

la red de seguridad

los acróbatas

el malabarista

el aro

el director de circo

el perro

el conejo

el sombrero de copa

la corbata de lazo

la banda

la caballista

el payaso

Word list

In this list, you can find all the Spanish words in this book. They are in alphabetical order. Next to each one, you can see its pronunciation (how to say it) in letters *like this*, and then its English translation.

Remember that Spanish nouns (words for things) are either masculine or feminine (see page 3). In the list, each one has **el**, **la**, **los** or **las** in front of it. These all mean "the". **El** and **los** are used in front of masculine nouns and **la** and **las** are used in front of feminine ones. **Los** and **las** are used in front of a plural noun (a noun is plural if you are talking about more than one, for example "cats").

About Spanish pronunciation
Read the pronunciation as if it were an English word, but try to remember the following rules about how Spanish words are said:

most Spanish words have a part that you stress, or say louder (like the "day" part of the English word "today"). So you know which part of each word you should stress, it is shown in capital letters;

the Spanish **r** is made by a flap of the tip of your tongue on the top of your mouth; at the beginning of the word, it is rolled like **rr** (see below);

the Spanish **rr** is a rolled "rrrrr" sound; it is shown as "rr" in the pronunciations;

a few Spanish letters are said differently depending on what part of the world you are in. When you see "th" in the pronunciations, it is said like "th" in "thin" in most of Spain, but in southern Spain, South America and in Mexico, it is said like the "s" in "say";

when you see "g" in a pronunciation, say it like the "g" in "garden".

A

abajo	*aBAho*	bottom (not top)
el abecedario	*el abetheDARee-o*	alphabet
la abeja	*la aBEha*	bee
abierto	*abee-AIRto*	open
el abrigo	*el aBREEgo*	coat
la abuela	*la aBWEla*	grandmother
el abuelo	*el aBWElo*	grandfather
el acantilado	*el akanteeLAdo*	cliff
el aceite	*el aTHAYtay*	oil
la acera	*la aTHAIRa*	sidewalk
el actor	*el akTOR*	actor
la actriz	*la akTREETH*	actress
los acróbatas	*los akROBatass*	acrobats
el aeropuerto	*el a-airoPWAIRto*	airport
agarrar	*agaRRAR*	to catch
el agua	*el Agwa*	water
el águila	*el Ageela*	eagle
el agujero	*el agooHAIRo*	hole
el ala	*el Ala*	wing
el ala delta	*el Ala DELta*	hang-gliding
el albaricoque	*el albareeKOKay*	apricot
las aletas	*lass aLETass*	flippers
la alfombra	*la alFOMbra*	rug
las algas	*lass ALgass*	seaweed
el algodón	*el algoDON*	cotton
el algodón de azúcar	*el algoDON day aTHOOkar*	cotton candy
los alimentos	*loss aleeMENtoss*	food
el almiar	*el almee-AR*	haystack
la almohada	*la almo-Ada*	pillow
alto	*ALto*	high, tall
amarillo	*amaREELyo*	yellow
la ambulancia	*la ambooLANthee-a*	ambulance
anaranjado	*anaranHAdo*	orange (color)
andar	*anDAR*	to walk
andar a gatas	*anDAR a GAtass*	to crawl

el andén	*el anDEN*	platform
el anillo	*el aNEELyo*	ring
los animales domésticos	*loss aneeMAless doMESSteekoss*	pets
la antena de televisión	*la anTENa day telebeessee-ON*	TV antenna
el anzuelo	*el anTHWElo*	bait
los apartamentos	*loss apartaMENtos*	apartments
el apio	*el Apee-o*	celery
la apisonadora	*la apeessonaDORa*	steamroller
el arado	*el aRAdo*	plow
la araña	*la aRANya*	spider
el árbol	*el ARbol*	tree
el árbol de Navidad	*el ARbol day nabeeDAD*	Christmas tree
los árboles	*loss ARboless*	trees
el arbusto	*el arBOOSSto*	bush
el arco	*el ARko*	bow
el arco iris	*el ARko eeREESS*	rainbow
la ardilla	*la arDEELya*	squirrel
el armario	*el arMARee-o*	cupboard, wardrobe
la armónica	*la arMONeeka*	harmonica
el aro	*el Aro*	hoop
los aros	*loss Aross*	ring toss
arriba	*aRREEba*	top, upstairs
el arroyo	*el aRROYo*	stream
el arroz	*el aRROTH*	rice
el/la artista	*el/la arTEESSta*	artist (man/woman)
el ascensor	*el assthenSSOR*	elevator
el aspirador	*el asspeeraDOR*	vacuum cleaner
el/la astronauta	*el/la asstronA-OOta*	astronaut (man/woman)
los/las astronautas	*loss/lass asstronA-OOtass*	spacemen/women
el autobús	*el a-ootoBOOSS*	bus
los autos de choque	*loss A-OOtoss day CHOkay*	bumper cars
el avestruz	*el abessTROOTH*	ostrich
el avión	*el abee-ON*	plane

la avispa	la aBEESSpa	wasp
la azada	la aTHADa	hoe
la azafata	la athaFAta	flight attendant (woman)
el azúcar	el aTHOOkar	sugar
azul	aTHOOL	blue
los azulejos	loss athooLEhoss	tiles

B

el bádminton	el BADmeenton	badminton
bailar	buyLAR	to dance
el bailarín	el buylaREEN	dancer (man)
la bailarina	la buylaREEna	dancer (woman)
el baile	el BUYlay	dance
bajo	BAho	low
las balanzas	lass baLANthas	scales
las balas de paja	lass BAlass day PAha	straw bales
la ballena	la balYENa	whale
el balón	el baLON	ball
la banana	la baNAna	banana
el banco	el BANko	bench
la banda	la BANda	band
la bandeja	la banDEha	tray
la bandera	la banDAIRa	flag
la bañera	la banYAIRa	bathtub
la barbilla	la barBEELya	chin
la barcaza	la barKATHa	barge
el barco	el BARko	boat, ship
el barco de pesca	el BARko day PESSka	fishing boat
el barco de vela	el BARko day BEla	sailboat
la barraca de tiro al blanco	la baRRAka day TEEro al BLANko	rifle range
barrer	baRRAIR	to sweep
el barril	el baRREEL	barrel
el basquetbol	el BASketbol	basketball
el bastón	el baSSTON	walking stick
la basura	la baSSOORa	garbage
la bata	la BAta	bathrobe
el bate	el BAtay	bat
la batería	la bateREE-a	battery
el baúl	el baOOL	trunk (car)
el bebé	el beBAY	baby
beber	beBAIR	to drink
el béisbol	el BAYSSbol	baseball
la bicicleta	la beetheeKLEta	bicycle
el bisonte	el beeSSONtay	bison
blanco	BLANko	white
el blanco	el BLANko	target
blando	BLANdo	soft
la boca	la BOka	mouth
el bocadillo	el bokaDEELyo	sandwich
el bolígrafo	el boLEEgrafo	pen
la bolsa	la BOLssa	bag
los bolsillos	loss bolSSEELyoss	pockets
el bolso	el BOLsso	purse
la bombera	la bomBAIRa	firewoman
el bombero	el bomBAIRo	fireman
la bombilla	la bomBEELya	light bulb
el bosque	el BOSSkay	forest
las botas	lass BOtass	boots
el bote de pintura	el BOtay day peenTOOra	paint can
el bote de remos	el BOtay day REmoss	rowboat
las botellas	lass boTELyass	bottles
los botones	loss boTOness	buttons
la bufanda	la booFANda	scarf
el búho	el BOO-o	owl

el burro	el BOOrro	donkey
el brazo	el BRAtho	arm
bueno	BWEno	good
la bufanda	la booFANda	scarf
el búho	el BOO-o	owl
el burro	el BOOrro	donkey

C

el caballete	el kabalYEte	easel
el/la caballista	el/la kabalYEESta	bareback rider (man/woman)
el caballo	el kaBALyo	horse
el caballo de balancín	el kaBALyo day balanTHEEN	rocking horse
la cabeza	la kaBETHa	head
la cabra	la KAbra	goat
las cacerolas	lass kathaiROLass	saucepans
el cachorro	el kaCHOrro	puppy
los cachorros de león	loss kaCHOrros day layON	lion cubs
caerse	ka-AIRsse	to fall
el café	el kaFAY	café, coffee
la caja	la KAha	checkout, box
la caja de herramientas	la KAha day erramee-ENtass	tool box
la caja de pinturas	la KAha day peenTORass	paint box
el cajón	el kaHON	drawer
la calabaza	la kalaBAtha	pumpkin
los calcetines	loss kaltheTEEness	socks
el calendario	el kalenDARee-o	calendar
el calentador del agua	el kalentaDOR del Agwa	kettle
caliente	kalee-ENtay	hot
la calle	la KALyay	street
los calzoncillos	loss kalthonTHEELyoss	underwear
la cama	la KAma	bed
la cámara	la KAmara	camera
la camarera	la kamaRAIRa	waitress
el camarero	el kamaRAIRo	waiter
el camello	el kaMELyo	camel
el camino	el kaMEEno	road
el camión	el kamee-ON	truck
el camión de gasolina	el kamee-ON day gassoLEEna	oil tanker (truck)
el camión de las averías	el kamee-ON day lass abeREE-ass	tow truck
la camisa	la kaMEESSa	shirt
la camiseta	la kameeSSETa	undershirt, T-shirt
el camisón	el kameeSSON	nightgown
el campo	el KAMpo	countryside, field
la caña de pescar	la KANya day pessKAR	fishing rod
el canal	el kaNAL	canal
el canario	el kaNARee-o	canary
el cangrejo	el kanGREho	crab
el canguro	el kanGOORo	kangaroo
las canicas	lass kaNEEkass	marbles
la canoa	la kaNO-a	canoe
el/la cantante	el/la kanTANtay	singer (man/woman)
cantar	kanTAR	to sing
el capó	el kaPO	(car) hood
la cara	la KAra	face
el caracol	el karaKOL	snail
el caramelo	el karaMElo	candy
el caramillo	el KaraMEElyo	recorder
la caravana	la karaVANa	camper
la carne	la KARnay	meat

la carnicera	la karneeTHAIRa	butcher (woman)	la ciruela	la theerWEla	plum
el carnicero	el karneeTHAIRo	butcher (man)	los cisnes	loss THEESSness	swans
la carpintera	la karpeenTAIRa	carpenter (woman)	claro	KLAro	light (not dark)
el carpintero	el karpeenTAIRo	carpenter (man)	los clavos	loss KLAboss	nails
la carrera	la kaRRAIRa	race	el cobertizo	el kobairTEEtho	shed
la carretilla	la karreTEELya	wheelbarrow	el cochecito de niño	el kocheTHEEto day	baby buggy
el carrito	el kaRREEto	shopping cart		NEENyo	
el carro	el KArro	car	la cocina	la koTHEEna	kitchen
el carro de bomberos	el KArro day	fire engine	cocinar	kotheeNAR	to cook
	bomBAIRoss		la cocinera	la kotheeNAIRa	cook (woman)
el carro de carreras	el KArro day	racing car	el cocinero	el kotheeNAIRo	cook (man)
	kaRRAIRass		el cocodrilo	el kokoDREElo	crocodile
el carro de policía	el KArro day	police car	el codo	el KOdo	elbow
	poleeTHEE-a		el cohete	el ko-Etay	rocket
las cartas	lass KARtass	letters	el cojín	el koHEEN	cushion
los carteles	loss karTELess	posters	la col	la kol	cabbage
el/la cartero	el karTAIRo	mail carrier	la colchoneta	la kolchoNETa	mat
la casa	la KAssa	house	el colegio	el koLEhee-o	school
la casa de muñecas	la KAssa day	doll's house	el colgador de ropa	el kolgaDOR day	coat rack
	moonYEKass			ROpa	
la casa del perro	la KAssa del PErro	kennel	la coliflor	la koleeFLOR	cauliflower
la cascada	la kassKAda	waterfall	la colina	la koLEEna	hill
el casco	el KASSko	helmet	el collar	el kolYAR	necklace
el castillo	el kasTEELyo	castle	la colmena	la kolMENa	beehive
el castillo de arena	el kasTEELyo day	sandcastle	color rosa	koLOR ROssa	pink
	aRENa		los colores	loss koLORess	colors
el castor	el kasTOR	beaver	los columpios	loss koLOOMpee-oss	swings
catorce	kaTORthay	fourteen	comer	koMAIR	to eat
cavar	kaBAR	to dig	la cometa	la koMETa	kite
la cebolla	la theBOLya	onion	la comida	la koMEEda	lunch
la cebra	la THEbra	zebra	la cómoda	la KOmoda	chest of drawers
la ceja	la THEha	eyebrow	comprar	komPRAR	to buy
la cena	la THEna	supper, dinner	la compuerta	la komPWAIRta	lock (on a canal)
		(evening meal)	la computadora	la kompootaDORA	computer
el cepillo	el thePEELyo	brush	la concha de mar	la KONcha day MAR	seashell
el cepillo de carpintero	el thePEELyo day	(wood) plane	el conductor de camión	el kondookTOR day	truck driver (man)
	karpeenTAIRo			kamee-ON	
el cepillo de dientes	el thePEELyo day	toothbrush	la conductora de	la kondookTORa day	truck driver (woman)
	dee-ENtess		camión	kamee-ON	
cerca	THAIRka	near	el conductor de autobús	el kondookTOR day	bus driver (man)
la cerca	la THAIRka	fence		a-ootoBOOSS	
los cerditos	loss thairDEEtoss	piglets	la conductora de	la kondookTORa day	bus driver (woman)
los cerdos	loss THAIRdoss	pigs	autobús	a-ootoBOOSS	
el cereal	el therayAl	cereal	el conejillo de Indias	el koneHEELyo day	guinea pig
la cereza	la theREtha	cherry		EENdeeyass	
las cerillas	lass theREELyas	matches	el conejo	el koNEho	rabbit
cerrado	theRRAdo	closed	el cono	el KOno	cone
la cesta	la THESSta	basket	la corbata	la korBAta	tie
el champiñon	el champeenYON	mushroom	la corbata de lazo	la korBAta day laTHO	bow tie
la chapa	la CHApa	badge	los corderos	loss korDAIRos	lambs
la chaqueta	la chaKAYta	jacket	el cordón del zapato	el korDON del thaPAto	shoelace
el charco	el CHARko	puddle	la correa de perro	la koRRAYa day PErro	dog leash
la chica	la CHEEka	girl	correr	koRRAIR	to run
el chico	el CHEEko	boy	el cortacésped	el KORtaTHESSped	lawn mower
la chimenea	la cheemeNAYa	chimney	cortar	korTAR	to cut, to chop
las chinchetas	lass cheenCHEtass	thumbtacks	la cortina	la korTEEna	curtain
el chocolate	el chokoLAtay	chocolate	corto	KORto	short
el chocolate caliente	el chokoLAtay	hot chocolate	coser	koSSAIR	to sew
	kalee-ENtay		la cremallera	la kremalYAIRa	zipper
el chorizo	el choREEtho	salami	el cricket	el KREEket	cricket (sport)
el ciclismo	el theeKLEEZmo	cycling	el cuaderno	el kwaDAIRno	notebook
el cielo	el thee-Elo	sky	la cuadra	la KWAdra	stable
el ciervo	el thee-AIRbo	deer	el cuadrado	el kwaDRAdo	square
cinco	THEENko	five	el cuarto de baño	el KWARto day BANyo	bathroom
el cine	el THEEnay	cinema	el cuarto de estar	el KWARto de essTAR	living room
la cinta	la THEENta	ribbon, cassette tape	cuatro	KWAtro	four
el cinturón	el theentooRON	belt	el cubo	el KOObo	bucket, cube
el circo	el THEERko	circus	el cubo de basura	el KOObo day	trash can
el círculo	el THEERkoolo	circle		baSSOOra	

58

Spanish	Pronunciation	English
los cubos	loss KEWbos	(toy) blocks
las cucharas	lass kooCHArass	spoons
las cucharillas	lass koochaREELyass	teaspoons
los cuchillos	loss kooCHEELyoss	knives
el cuello	el KWELyo	neck
los cuencos	loss KWENkoss	bowls
las cuentas	lass KWENtass	beads, problems
la cuerda	la KWAIRda	rope
la cuerda de saltar	la KWAIRda day salTAR	jump rope
la cuerda de volatinero	la KWAIRda day bolateeNAIRo	tightrope
los cuernos	loss KWAIRnoss	horns
el cumpleaños	el koomplayANyoss	birthday

D

Spanish	Pronunciation	English
los dados	loss DAdoss	dice
la dama de honor	la DAma day oNOR	bridesmaid
debajo	deBAho	under
los dedos	loss DEdoss	fingers
los dedos del pie	loss DEdoss del pee-AY	toes
el delantal	el delanTAL	apron
el delfín	el delFEEN	dolphin
delgado	delGAdo	thin
el/la dentista	el/la denTEESSta	dentist (man/woman)
dentro	DENtro	in
los deportes	loss dePORtess	sports
a la derecha	a la deREcha	(on/to the) right
el desayuno	el dessa-YOOno	breakfast
el destornillador	el desstorneelyaDOR	screwdriver
el detergente	el detairHENtay	laundry detergent
el día de la boda	el DEEa day la BOda	wedding day
el día de Navidad	el DEEa de nabeeDAD	Christmas Day
los días	loss DEEass	days
días especiales	DEEass esspethee-Aless	special days
el dibujo	el deeBOOho	drawing
diecinueve	dee-etheeNWEbay	nineteen
dieciocho	dee-ethee-Ocho	eighteen
dieciséis	dee-etheeSAYSS	sixteen
diecisiete	dee-etheesee-Etay	seventeen
los dientes	loss dee-ENtes	teeth
diez	dee-ETH	ten
difícil	deeFEEtheel	difficult
el dinero	el deeNAIRo	money
el director de circo	el deerekTOR day THEERko	ring master
el disco compacto	el DEESko komPAKto	CD (compact disc)
el disfraz	el deesFRATH	costume
doce	DOthay	twelve
domingo	doMEENgo	Sunday
dormir	dorMEER	to sleep
el dormitorio	el dormeeTORee-o	bedroom
dos	doss	two
la ducha	la DOOcha	shower
duro	DOOro	hard

E

Spanish	Pronunciation	English
el edredón	el edreDON	comforter
el elefante	el eleFANtay	elephant
empujar	empooHAR	to push
encima	enTHEEma	over
la enfermera	la enfairMAIRa	nurse (woman)
el enfermero	el enfairMAIRo	nurse (man)
la ensalada	la enssaLAda	salad
el/la equilibrista	el/la ekeeleeBREESSta	unicyclist (man/woman)
la equitación	la ekeetathee-ON	riding

Spanish	Pronunciation	English
el erizo	el eREEtho	hedgehog
la escalada	la esskaLAda	climbing
la escalera	la esskaLAIRa	ladder
la escalera de cuerda	la esskaLAIRa day KWAIRda	rope ladder
las escaleras	lass esskaLAIRass	stairs
los escalones	loss esskaLONess	steps
la escavadora	la esskabaDORa	steam shovel
la escoba	la essKOba	broom
esconderse	esskonDAIRssay	to hide
la escopeta	la esskoPETa	gun
escribir	esskreeBEER	to write
el escritorio	el esskreeTORRee-o	desk
escuchar	esskooCHAR	to listen
la escuela	la essKWELa	school
el espacio	el essPAthee-o	space
los espaguetis	loss esspaGETeess	spaghetti
la espalda	la essPALda	back (of body)
el espantapájaros	el esspantaPAhaross	scarecrow
el esparadrapo	el essparraDRAPo	band-aid
el espejo	el essPEho	mirror
esperar	esspeRAR	to wait
las espinacas	lass esspeeNAkass	spinach
la esponja	la essPONha	sponge
la esposa	la essPOssa	wife
el esposo	el essPOsso	husband
el esquí	el essKEE	ski
el esquiador acuático	el eskee-aDOR aKWAteeko	water skier (man)
la esquiadora acuática	la eskee-aDORa aKWAteeka	water skier (woman)
el establo	el essTAblo	cowshed
la estación de ferrocarril	la estasthee-ON day ferrokaRREEL	railway station
las estaciones	lass esstathee-ONess	seasons
el estanque	el essTANkay	pond
el estómago	el essTOMago	tummy
la estrella	la essTRELya	star
la estrella de mar	la essTRELya day MAR	starfish
la estufa	la eSTUfa	kitchen stove

F

Spanish	Pronunciation	English
la fábrica	la FAbreeka	factory
fácil	FAtheel	easy
la falda	la FALda	skirt
la familia	la faMEELya	family
el faro	el FAro	lighthouse
la farola	la faROLa	lamp post
los faros	loss FAross	headlights
la feria	la FEree-a	amusement park, fairground
la fiesta	la fee-ESSta	party
las flechas	lass FLEchass	arrows
las flores	lass FLOress	flowers
la foca	la FOka	seal
las formas	lass FORmass	shapes
la fotógrafa	la foTOgrafa	photographer (woman)
el fotógrafo	el foTOgrafo	photographer (man)
las fotos	lass FOtoss	photographs
la frambuesa	la framBWEssa	raspberry
el fregadero	el fregaDAIRo	sink
la fregona	la freGONa	mop
la fresa	la FREssa	strawberry
frío	FREE-o	cold
las frutas	lass FROOtass	fruit
las frutas y verduras	lass FROOtass ee bairDOOrass	fruit and vegetables

los fuegos artificiales	loss FWEgoss arteefeethee-Aless	fireworks
fuera	FWAIRa	out
la furgoneta	la foorgoNETa	van
el fútbol	el FOOTbol	soccer
el fútbol americano	el FOOTbol amereeKAno	football

G

la galleta	la galYETa	cookie
las gallinas	lass galYEENass	hens
el gallinero	el galyeeNAIRo	henhouse
el gallo	el GALyo	rooster
el garaje	el gaRAhay	garage
la gasolina	la gasoLEEna	gasoline
el gatito	el gaTEEto	kitten
el gato	el GAto	cat
la gaviota	la gabee-Ota	seagull
la gente	la HENtay	people
la gimnasia	la heemNASSee-a	gym (gymnastics)
el globo	el GLObo	balloon
el globo terráqueo	el GLObo teRRAkay-o	globe
la goma	la GOma	eraser
gordo	GORdo	fat
el gorila	el goREEla	gorilla
la gorra	la GORRa	cap
grande	GRANday	big
el granero	el graNAIRo	barn
la granja	la GRANha	farm
la granjera	la granHAIRa	farmer (woman)
el granjero	el granHAIRo	farmer (man)
el grifo	el GREEfo	faucet
gris	GREESS	grey
la grúa	la GROO-a	crane
los guantes	loss GWANtess	gloves
la guirnalda de papel	la geerNALda day paPEL	paper chain
los guisantes	loss geeSSANtess	peas
la guitarra	la geeTARRa	guitar
el gusano	el gooSSAno	worm

H

las habichuelas	lass abeeCHWElass	beans
hablar	aBLAR	to talk
hacer	aTHAIR	to make, to do
hacer punto	aTHAIR POONto	to knit
el hacha	el Acha	axe
haciendo cosas	athee-ENdo KOssass	doing things
la hamburguesa	la amboorGESSa	hamburger
el hámster	el AMstair	hamster
la harina	la aREEna	flour
la hebilla	la eBEELya	buckle
la helada	la eLAda	frost
el helado	el eLAdo	ice cream
el helicóptero	el eleeKOPtairo	helicopter
el heno	el Eno	hay
la hermana	la airMANa	sister
el hermano	el airMANo	brother
la hierba	la ee-AIRba	grass
la hija	la EEha	daughter
el hijo	el EEho	son
el hipopótamo	el eepoPOTamo	hippopotamus
la hoguera	la oGAIRa	bonfire
las hojas	lass Ohass	leaves
el hombre	el OMbray	man
los hombros	loss OMbross	shoulders
la horca	la ORka	fork

el hospital	el osspeeTAL	hospital
el hotel	el Otel	hotel
el hoyo de arena	el Oyo day aRENa	sandbox
la hucha	la OOcha	money box
la huerta	la WAIRta	orchard
el hueso	el WEsso	bone
el huevo frito	el WEbo FREEto	fried egg
el huevo pasado por agua	el WEbo paSSAdo por Agwa	boiled egg
los huevos	loss WEboss	eggs
el humo	el OOmo	smoke

I

el interruptor	el eentairoopTOR	switch
el invernadero	el eenbairnaDAIRo	greenhouse
el invierno	el eenbee-AIRno	winter
el irrigador	el eerreegaDOR	sprinkler
la isla	la EEssla	island
a la izquierda	a la eethkee-AIRda	(on/to the) left

J

el jabón	el haBON	soap
el jamón	el haMON	ham
el jardín	el harDEEN	yard
el jardín de flores	el harDEEN day FLORess	flower bed
los jarros	loss HArross	jars
la jaula	la HOWla	cage
los jeans	loss JEENS	jeans
la jeringuilla	la hereenGEELya	syringe
el jersey	el herSAY	pullover
la jirafa	la heeRAfa	giraffe
el judo	el JOOdo	judo
jueves	HWEbess	Thursday
el/la juez	el/la HWETH	judge (man/woman)
jugar	hooGAR	to play
el jugo	el HOOgo	juice
los juguetes	loss hooGETess	toys
la juguetería	la hoogetairEE-a	toy shop

K

el kárate	el KAratay	karate

L

los labios	loss LAbee-oss	lips
los ladrillos	loss laDREELyoss	bricks
el lagarto	el laGARto	lizard
el lago	el LAgo	lake
la lámpara	la LAMpara	lamp
la lancha motora	la LANcha moTORa	speedboat
lanzar	lanTHAR	to throw
los lápices de colores	loss LApeethess day koLORess	crayons
el lápiz	el LApeeth	pencil
largo	LARgo	long
las latas	lass LAtass	cans
el lavabo	el LAbabo	sink
el lavado de coches	el LAbado day KOchess	car wash
la lavadora	la labaDORa	washing machine
lavarse	laBARssay	to wash
la leche	la LEchay	milk
la lechuga	la leCHOOga	lettuce
leer	layAIR	to read
lejos	LEhoss	far
la lengua	la LENgwa	tongue
lento	LENto	slow

Spanish	Pronunciation	English
el león	*el layON*	lion
el leopardo	*el layoPARdo*	leopard
los libros	*loss LEEbross*	books
la lima	*la LEEma*	file
el limón	*el leeMON*	lemon
limpio	*LEEMpee-o*	clean
la llave	*la LYAbay*	key
la llave inglesa	*la LYAbay eenGLESSa*	wrench
lleno	*LYENo*	full
llevar	*lyeBAR*	to carry
llorar	*lyoRAR*	to cry
la lluvia	*la LYOObee-a*	rain
el lobo	*el LObo*	wolf
el lodo	*el LOdo*	mud
el loro	*el LOro*	parrot
la lucha libre	*la LOOcha leeBRAY*	wrestling
la luna	*la LOOna*	moon
lunes	*LOOness*	Monday

M

Spanish	Pronunciation	English
la madera	*la maDAIRa*	wood
la madre	*la MAdray*	mother
el/la malabarista	*el/la malabaREESSta*	juggler (man/woman)
la maleta	*la maLETa*	suitcase
malo	*MAlo*	bad
la mañana	*la maNYAna*	morning
la mandarina	*la mandaREEna*	tangerine
la manguera	*la manGAIRa*	hose
la mano	*la MAno*	hand
el mantel	*el manTEL*	tablecloth
la mantequilla	*la manteKEELya*	butter
la manzana	*la manTHAna*	apple
el mapa	*el MApa*	map
la máquina	*la MAkeena*	engine
la máquina de boletos	*la MAkeena day boLEtoss*	ticket machine
el/la maquinista	*el/la makeeNEESSta*	train engineer (man/woman)
el mar	*el MAR*	sea
los marcadores	*los markaDORes*	felt-tip pens
el marinero	*el mareeNAIRo*	sailor
la mariposa	*la mareePOSSa*	butterfly
la mariposa nocturna	*la mareePOSSa nokTOORna*	moth
la mariquita	*la mareeKEEta*	ladybug
marrón	*maRRON*	brown
martes	*MARtess*	Tuesday
el martillo	*el marTEELyo*	hammer
las máscaras	*lass MASSkarass*	masks
la mecánica	*la meKAneeka*	mechanic (woman)
el mecánico	*el meKAneeko*	mechanic (man)
la media luna	*la MEdee-a LOOna*	crescent
las medias	*lass MEdee-ass*	tights, pantyhose
la médica	*la MEdeeka*	doctor (woman)
la medicina	*la medeeTHEEna*	medicine
el médico	*el MEdeeko*	doctor (man)
la mejilla	*la meHEELya*	cheek
el melocotón	*el melokoTON*	peach
el melón	*el meLON*	melon
el mercado	*el mairKAdo*	market
la mermelada	*la mairmeLAda*	jam
la mesa	*la MEssa*	table
la mesa de trabajo	*la MEssa day traBAho*	workbench
el metro	*el MEtro*	tape measure
la miel	*la mee-EL*	honey
miércoles	*mee-AIRkoless*	Wednesday
mirar	*meeRAR*	to watch
la mochila	*la moCHEELa*	backpack

Spanish	Pronunciation	English
mojado	*moHAdo*	wet
el molino de viento	*el moLEEno day beeENto*	windmill
el monedero	*el moneDAIRo*	coin purse
el mono	*el MOno*	monkey
el monopatín	*el monopaTEEN*	skateboard
la montaña	*la monTANya*	mountain
la montaña rusa	*la monTANya ROOssa*	roller coaster
la moqueta	*la moKEta*	carpet
morado	*moRAdo*	purple
la mosca	*la MOSSka*	fly
la moto	*la MOto*	motorcycle
el motor	*el moTOR*	engine
muchos	*MOOchoss*	many
muerto	*MWAIRto*	dead
la mujer	*la mooHAIR*	woman
las muletas	*lass mooLETass*	crutches
las muñecas	*lass mooNYEKass*	dolls
el murciélago	*el moorthee-Elago*	bat

N

Spanish	Pronunciation	English
la naranja	*la naRANha*	orange (fruit)
la nariz	*el naREETH*	nose
la nata	*la NAta*	cream
la natación	*la natathee-ON*	swimming
la navaja	*la naBAha*	penknife
la nave espacial	*la NAbay espathee-AL*	spaceship
la neblina	*la neBLEEna*	mist
negro	*NEgro*	black
el neumático	*el nay-ooMAteeko*	tire
el nido	*el NEEdo*	nest
la niebla	*la nee-Ebla*	fog
la nieve	*la nee-Ebay*	snow
los niños	*loss NEEnyoss*	children
la noche	*la NOchay*	night
la noria	*la NOree-a*	Ferris wheel
la novia	*la NObee-a*	bride
el novio	*el NObee-o*	bridegroom
las nubes	*lass NOObess*	clouds
nueve	*NWEbay*	nine
nuevo	*NWEbo*	new
los números	*loss NOOmaiross*	numbers

O

Spanish	Pronunciation	English
las ocas	*lass Okass*	geese
ocho	*Ocho*	eight
los ojales	*loss oHAless*	button holes
el ojo	*el Oho*	eye
las olas	*lass Olass*	waves
el omelete	*el omeLEtay*	omelette
once	*ONthay*	eleven
las orejas	*lass oREhass*	ears
la oruga	*la oROOga*	caterpillar
oscuro	*ossKOOro*	dark
el osito de trapo	*el oSSEEto day TRApo*	teddy bear
el oso	*el Osso*	bear
el oso polar	*el Oso poLAR*	polar bear
el otoño	*el oTONyo*	autumn
el óvalo	*el Obalo*	oval
las ovejas	*lass oBEhass*	sheep

P

Spanish	Pronunciation	English
el padre	*el PAdray*	father
la paja	*la PAha*	(drinking) straw
el pajar	*el paHAR*	loft
los pájaros	*loss PAhaross*	birds
la pala	*la PAla*	shovel

palabras opuestas	paLAbrass oPWESStass	opposite words
la paleta	la paLETa	trowel
los palillos	loss paLEELyoss	chopsticks
el palo de esquí	el PAlo day essKEE	ski pole
la paloma	la paLOma	pigeon
las palomitas de maíz	lass paloMEEtass day maEETH	popcorn
los palos	loss PAloss	sticks
el pan	el PAN	bread
la panadera	la panaDAIRa	baker (woman)
el panadero	el panaDAIRo	baker (man)
el pañal	el paNYAL	diaper
el panda	el PANda	panda
los panecillos	loss paneTHEELyoss	(bread) rolls
los panqueques	loss panKEkays	pancakes
los pantalones	loss pantaLOness	pants
los pantalones cortos	loss pantaLOness KORtoss	shorts
el pañuelo	el panyuWELo	handkerchief
los pañuelos de papel	loss panyuWELoss day paPEL	tissues
Papá Noel	paPA noEL	Santa Claus
el papel	el paPEL	paper
el papel de lija	el paPEL day LEEha	sandpaper
el papel higiénico	el paPEL eehee-Eneeko	toilet paper
la papelera	la papeLAIRa	wastepaper basket
el paracaídas	el paraka-EEdass	parachute
el paraguas	el paRAgwass	umbrella
la pared	la paRED	wall
el parque	el PARkay	park
la parte delantera	la PARtay delanTAIRa	front
la parte trasera	la PARtay traSSAIRa	back (not front)
el pasillo	el paSEElyo	hall
el paso de peatones	el PAsso day payaTOness	crosswalk
la pasta dentífrica	la PASSta dentTEEfrika	toothpaste
el pastor	el pasTOR	shepherd
la pastora	la passTORa	shepherdess
las patas	lass PAtass	paws
las patatas	lass paTAtass	potatoes
las patatas fritas	lass paTAtass FREEtass	chips, fries
el patinaje sobre hielo	el pateeNAhay sobray ee-Elo	ice skating
los patines	loss paTEEness	roller blades
los patines de hielo	loss paTEEness day ee-Elo	ice skates
el patio	el PAtee-o	playground
los patitos	loss paTEEtoss	ducklings
los patos	loss PAtoss	ducks
los pavos	loss PAboss	turkeys
el payaso	el paYAsso	clown
la pecera	la peTHAIRa	aquarium
los peces de colores	loss PEthess day koLORess	goldfish
el pecho	el PEcho	chest
el pegamento	el pegaMENto	glue
el peine	el PAYnay	comb
pelear	pelayAR	to fight
el pelícano	el peleeKAno	pelican
el pelo	el PElo	hair
la pelota	la peLOta	ball
la peluquera	la pelooKAIRa	hair stylist (woman)
el peluquero	el pelooKAIRo	barber (man)
pensar	penSAR	to think
el pepino	el pePEEno	cucumber
pequeño	peKENyo	small
la pera	la PEra	pear
el periódico	el peree-Odeeko	newspaper
el periquito	el pereeKEEto	parakeet
el perro	el PErro	dog
el perro pastor	el PErro pasTOR	sheepdog
la persiana	la pairsee-Ana	(window) blind
la pesca	la PESSka	fishing
el pescador	el pesskaDOR	fisherman
el petrolero	el petrolAIRo	oil tanker (ship)
el pez	el PETH	fish
el piano	el pee-Ano	piano
el picaporte	el peekaPORtay	door handle
el picnic	el PEEKneek	picnic
el pico	el PEEko	beak
el pie	el pee-AY	foot
las piedras	lass pee-Edrass	stones
las piedrecitas	lass pee-edreTHEEtass	pebbles
la pierna	la pee-AIRna	leg
el pijama	el peeHAma	pajamas
las píldoras	lass PEELdorass	pills
el piloto	el peeLOto	pilot
la pimienta	la peemee-ENta	pepper
la piña	la PEEnya	pineapple
el pincel	el peenTHEL	brush
el ping-pong	el peeng-PONG	ping pong
el pingüino	el peenGWEEno	penguin
pintar	peenTAR	to paint
el pintor	el peenTOR	painter (man)
la pintora	la peenTORa	painter (woman)
las pinturas	lass peenTORass	paints
las pinturas para la cara	lass peenTORass para la KAra	face paints
el piragüismo	el peeraGWEEssmo	rowing, canoeing
la piscina	la peessTHEEna	swimming pool
la pista de aterrizaje	la PEESSta day aterreeTHAhay	runway
la pizarra	la peeTHArra	board
la pizza	la PEETza	pizza
la plancha	la PLANcha	iron
el planeta	el plaNETa	planet
la planta	la PLANta	plant
la plastilina	la plasteeLEEna	modeling dough
los platillos	loss plaTEELyoss	saucers
los platos	loss PLAtoss	plates
la playa	la PLA-ya	beach, seaside
las plumas	lass PLOOmass	feathers
la pocilga	la poTHEELga	pigsty
pocos	POkoss	few
el policía	el poleeTHEE-a	policeman
la policía	la poleeTHEE-a	policewoman
los pollitos	loss polYEEtoss	chicks
el pollo	el POlyo	chicken
el pomelo	el poMELo	grapefruit
el poney	el POnee	pony
el poste indicador	el POSStay eendeekaDOR	signpost
los postres	loss POsstress	dessert
la prima	la PREEma	cousin (girl)
la primavera	la preemaVAIRa	spring
primero	preeMAIRo	first
el primo	el PREEmo	cousin (boy)
el profesor	el profeSSOR	teacher (man)
la profesora	la profeSSORa	teacher (woman)
el pueblo	el PWEblo	village
el puente	el PWENtay	bridge
el puerro	el PWErro	leek
la puerta	la PWAIRta	door
la puerta de la cerca	la PWAIRta day la THAIRka	gate

el pulgar	el poolGAR	thumb
el puré de patatas	el pooRAY day paTAtass	mashed potatoes

Q

el queso	el KEsso	cheese
quince	KEENthay	fifteen

R

el rabo	el RAbo	tail
el radiador	el radee-aDOR	radiator
la radio	la RAdee-o	radio
los raíles	loss ra-EEless	train track
la rana	la RAna	frog
rápido	RApeedo	fast
la raqueta	la raKEta	racket
el rastrillo	el rasTREELyo	rake
el ratón	el raTON	mouse
la rebeca	la reBEkah	cardigan
recoger	rekoHAIR	to pick
el recogedor	el rekoheDOR	dustpan
el rectángulo	el recTANgoolo	rectangle
la red	la RED	net
la red de seguridad	la RED day segooreeDAD	safety net
el refrigerador	el reFREE-hairador	refrigerator
la regadera	la regaDORa	watering can
el regalo	el reGAlo	gift
los regalos	loss reGAloss	gifts
la regla	la REgla	ruler
reírse	ray-EERssay	to laugh
el relámpago	el reLAMpago	lightning
el reloj	el reLOH	clock, watch
el remo	el REmo	oar, paddle, rowing
el remolque	el reMOLkay	trailer
los renacuajos	loss renaKWAhoss	tadpoles
el reno	el REno	reindeer
el retrete	el reTRE-tay	toilet
el revisor	el rebeeSSOR	train conductor (man)
la revisora	la rebeeSSORa	train conductor (woman)
el rinoceronte	el reenothaiRONtay	rhinoceros
el río	el REE-o	river
el robot	el roBOT	robot
las rocas	lass ROkass	rocks
el rocío	el roTHEE-o	dew
la rodilla	la roDEELya	knee
rojo	ROho	red
el rombo	el ROMbo	diamond (shape)
el rompecabezas	el rompaykaBEthass	jigsaw
romper	romPAIR	to break
la ropa	la ROpa	clothes
la rueda	la RWEda	wheel
el rugby	el ROOGbee	rugby

S

sábado	SAbado	Saturday
la sábana	la SAbana	sheet
la sal	la SAL	salt
la sala de espera	la SAla day esPAIRa	waiting room
la salchicha	la salCHEEcha	sausage
la salsa	la SALssa	sauce
saltar	salTAR	to jump, to skip
el salto de trampolín	el SALto day trampoLEEN	diving
las sandalias	lass sanDAlee-ass	sandals
el sapo	el SApo	toad

la sartén	la sarTEN	frying pan
seco	SEko	dry
seis	SAYSS	six
el semáforo	el seMAforo	traffic lights
las semillas	lass seMEELyas	seeds
las señales	lass seNYAless	signals
el sendero	el senDAYroh	path
sentarse	senTARsay	to sit
la serpiente	la sairpee-ENtay	snake
el serrín	el seRREEN	sawdust
el seto	el SEto	hedge
la sierra	la see-Erra	saw
siete	see-Etay	seven
el silbato	el seelBAto	whistle
la silla	la SEELya	chair
la silla de montar	la SEELya day monTAR	saddle
la silla de ruedas	la SEELya day RWEdass	wheelchair
la silleta	la seelYEta	stroller
el snowboarding	el eSNOWbordeeng	snowboarding
el sobrecargo	el sobrayKARgo	flight attendant (man)
el sofá	el soFA	sofa
el sol	el SOL	sun
los soldados	loss solDAdoss	soldiers
el sombrero	el somBRAIRo	hat
el sombrero de copa	el somBRAIRo day KOpa	top-hat
el sombrero de paja	el somBRAIRo day paHA	straw hat
la sombrilla	la somBREELya	beach umbrella
sonreír	sonray-EER	to smile
la sopa	la SOpa	soup
soplar	soPLAR	to blow
el subibaja	el soobeeBAha	seesaw
el/la submarinista	el/la soobmareeNEESSta	frogman/woman
el submarino	el soobmaREEno	submarine
sucio	SOOthee-o	dirty
el suelo	el SWElo	floor
el suéter	el SWEtair	sweater
el surtidor de gasolina	el soorteeDOR day gasoLEEna	gas pump

T

la tabla de planchar	la TAbla day planCHAR	ironing board
el tablón	el taBLON	plank
el taburete	el tabooRETay	stool
las tachuelas	lass taCHWElass	tacks
la taladradora	la taladraDORa	road drill
el taladro	el taLADro	drill
el taller	el talYAIR	workshop
los tambores	loss tamBORess	drums
la taquilla	la taKEElya	locker
la tarde	la TARday	evening
la tarjeta de cumpleaños	la tarHETa day koomplayANyoss	birthday card
las tarjetas	lass tarHETass	cards
los tarros	loss TARRoss	jars
el taxi	el TAKssee	taxi
las tazas	lass TAthass	cups
el té	el TAY	tea
el tebeo	el teBAYo	comic
el techo	el TEcho	ceiling
el tejado	el teHAdo	roof
el tejón	el teHON	badger
la telaraña	la telaRANya	cobweb
el teléfono	el teLEFono	telephone
el telescopio	el teleSKOpee-o	telescope
la telesilla	la teleSEELya	chairlift

la televisión	la telebeessee-ON	television
los tenedores	loss teneDORess	forks
el tenis	el TEneess	tennis
el termómetro	el tairMOmetro	thermometer
el ternero	el tairNAIRo	calf
la tía	la TEE-a	aunt
el tiburón	el teebooRON	shark
el tiempo	el tee-EMpo	weather
la tienda	la tee-ENda	store
las tiendas de campaña	lass tee-ENdass day kamPANya	tents
la tierra	la tee-ERRa	dirt, earth
el tigre	el TEEgray	tiger
las tijeras	lass teeHAIRass	scissors
el tío	el TEE-o	uncle
el tiovivo	el tee-oBEEbo	merry-go-round
tirar	teeRAR	to pull
el tiro con arco	el TEEro kon ARko	archery
los títeres	loss TEEteress	puppets
la tiza	la TEEtha	chalk
la toalla	la to-ALya	towel
la toalla de cocina	la to-ALya day koTHEEna	dish towel
el tobogán	el toboGAN	slide
tomar	toMAR	to take
el tomate	el toMAtay	tomato
los topes	loss TOpess	buffers
el topo	el TOpo	mole
los tornillos	loss torNEELyoss	screws
los tornillos a tuerca	loss torNEELyoss a TWAIRka	bolts (nuts and bolts)
el torno de banco	el TORno day BANko	vice (tool)
el toro	el TOro	bull
la torre de control	la TOrray day konTROL	control tower
la torta	la TORta	cake
la torta de cumpleaños	la TORta day koomplayANyoss	birthday cake
la tortuga	la torTOOga	tortoise
las tostadas	lass tossTAdass	toast
el tractor	el trakTOR	tractor
el traje de baño	el TRAhay day BANyo	swimsuit
el trapecio	el traPEthee-o	trapeze
el trapo del polvo	el TRApo del POLbo	dust cloth
el trasero	el traSAIRo	bottom (body)
trece	TREthay	thirteen
el tren	el TREN	train
el tren de mercancías	el TREN day mairkanTHEE-ass	freight train
el tren fantasma	el TREN fanTASSma	ghost train (ride)
trepar	trePAR	to climb
tres	TRESS	three
el triángulo	tree-ANgoolo	triangle
el triciclo	el treeTHEEklo	tricycle
el trineo	el treeNAYo	sleigh
la trompa	la TROMpa	trunk (elephant)
la trompeta	la tromPEta	trumpet
los troncos	loss TRONkoss	logs
las tuberías	lass toobaiREE-ass	pipes
las tuercas	lass TWAIRkass	nuts (nuts and bolts)
la tumbona	la toomBOna	deck chair
el túnel	el TOOnel	tunnel

U

último	OOLteemo	last
uno	OOno	one
las uvas	lass OObass	grapes

V

la vaca	la BAka	cow
las vacaciones	lass bakathee-ONess	vacation
vacío	baTHEE-o	empty
los vagones	loss baGONess	railway cars
la vara	la BAra	pole
los vasos	loss BAssoss	glasses (drinking)
veinte	BAYntay	twenty
la vela	la BEla	candle, sailing
el velero	el beLAIRo	sailboat
la venda	la BENda	bandage
la ventana	la benTAna	window
las verduras	lass bairDOORass	vegetables
el verano	el beRAno	summer
verde	BAIRday	green
el vestido	el bessTEEdo	dress
el vestuario	el besstoo-ARee-o	changing room
la veterinaria	la betereeNARee-a	vet (woman)
el veterinario	el betereeNARee-o	vet (man)
el viaje	el bee-Ahay	travel
el video	el BEEday-o	video
viejo	bee-Eho	old
el viento	el beeENto	wind
viernes	beeAIRness	Friday
las virutas	lass beeROOtass	(wood) shavings
vivo	BEEbo	alive
la volatinera	la bolateeNAIRa	tightrope walker (woman)
el volatinero	el bolateeNAIRo	tightrope walker (man)

W

el windsurfing	el weensoorfeeng	windsurfing

Y

el yeso	el YEsso	cast
yo	yo	I, me
el yogur	el yoGOOR	yogurt

Z

la zanahoria	la thana-ORee-a	carrot
las zapatillas	lass thapaTEELyass	slippers
los zapatos	loss thaPAtoss	shoes
los zapatos de tenis	loss thaPAtos day TEnis	tennis shoes
el zoo	el THO	zoo
los zorritos	loss thoREEtoss	fox cubs
el zorro	el THOrro	fox

This revised edition first published in 1995 by Usborne Publishing Ltd, Usborne House, 83-85 Saffron Hill, London EC1N 8RT.
Based on a previous title first published in 1979.
Copyright © 1995, 1979 Usborne Publishing Ltd.
First published in America, March 1996. AE

Printed in Italy.